연오랑과 세오녀

왜국을 다스리다

원작 일연 글 구들 그림 최지경 감수 최광식

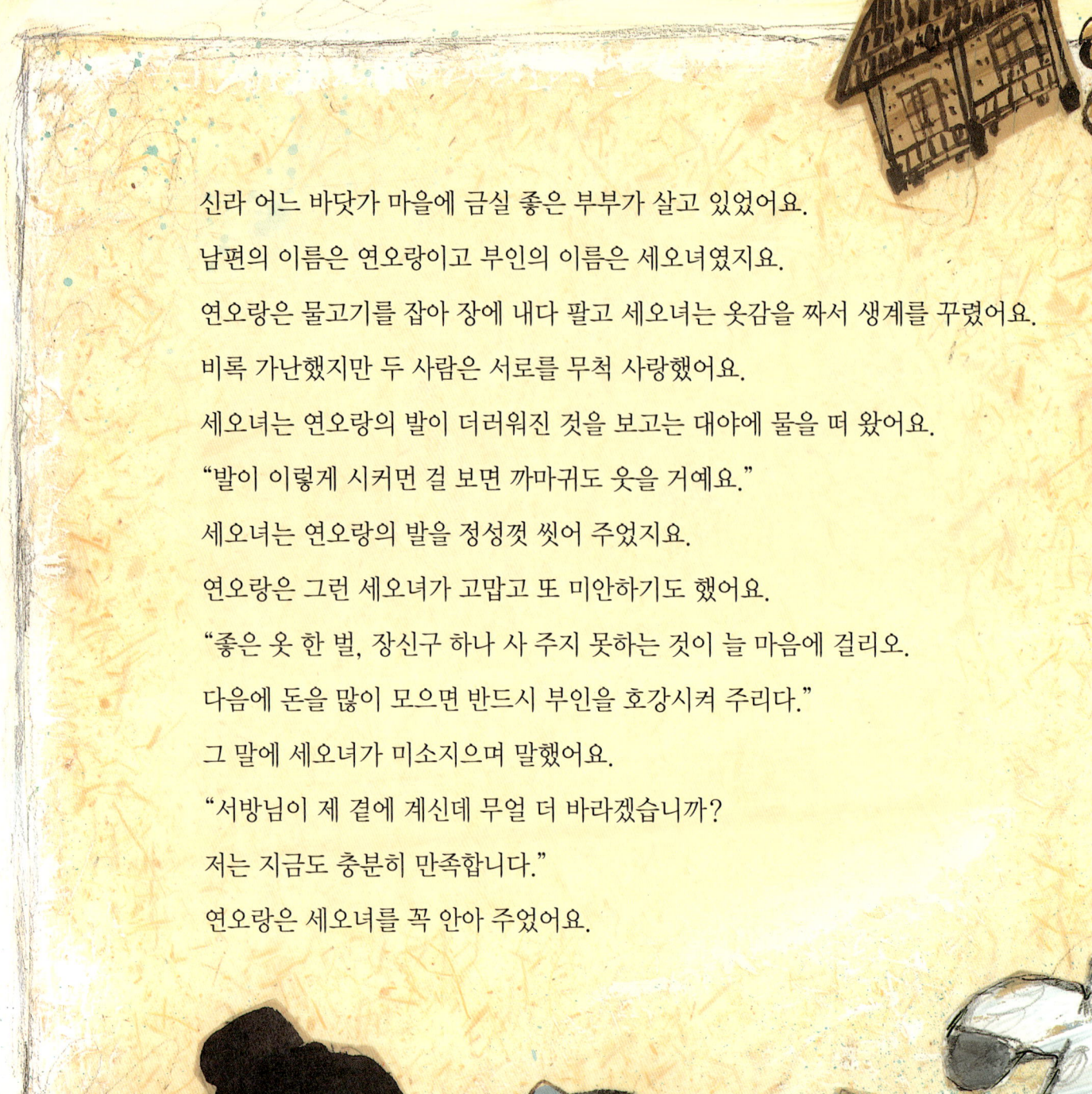

신라 어느 바닷가 마을에 금실 좋은 부부가 살고 있었어요.

남편의 이름은 연오랑이고 부인의 이름은 세오녀였지요.

연오랑은 물고기를 잡아 장에 내다 팔고 세오녀는 옷감을 짜서 생계를 꾸렸어요.

비록 가난했지만 두 사람은 서로를 무척 사랑했어요.

세오녀는 연오랑의 발이 더러워진 것을 보고는 대야에 물을 떠 왔어요.

"발이 이렇게 시커먼 걸 보면 까마귀도 웃을 거예요."

세오녀는 연오랑의 발을 정성껏 씻어 주었지요.

연오랑은 그런 세오녀가 고맙고 또 미안하기도 했어요.

"좋은 옷 한 벌, 장신구 하나 사 주지 못하는 것이 늘 마음에 걸리오.

다음에 돈을 많이 모으면 반드시 부인을 호강시켜 주리다."

그 말에 세오녀가 미소지으며 말했어요.

"서방님이 제 곁에 계신데 무얼 더 바라겠습니까?

저는 지금도 충분히 만족합니다."

연오랑은 세오녀를 꼭 안아 주었어요.

3

그날도 연오랑은 아침 일찍 바다로 고기잡이를 나갔어요.

바다에 나갈 때 연오랑은 항상 세오녀가 만들어 준 옷을 입었지요.

"당신이 만들어 준 옷은 언제 봐도 참 고와요.

아마 이렇게 고운 옷을 입은 사람은 나밖에 없을 거요."

연오랑은 이렇게 말하며 세오녀의 손을 꼭 잡아 주었어요.

연오랑이 바다에 나가고 나면 세오녀는
마을 아낙들과 함께 옷감을 짰어요.
세오녀의 옷감 짜는 솜씨는 온 동네 사람이 다 알아줄 정도로 좋았어요.
아낙들은 세오녀의 솜씨에 다들 감탄했어요.
"베가 어찌 이리도 부드럽고 고울 수 있을까?
정말 세오녀의 손은 보통 손이 아니야.
우린 언제쯤 이렇게 짤 수 있으려나?"
아낙들의 말에 세오녀는 빙긋이 웃기만 할 뿐이었어요.

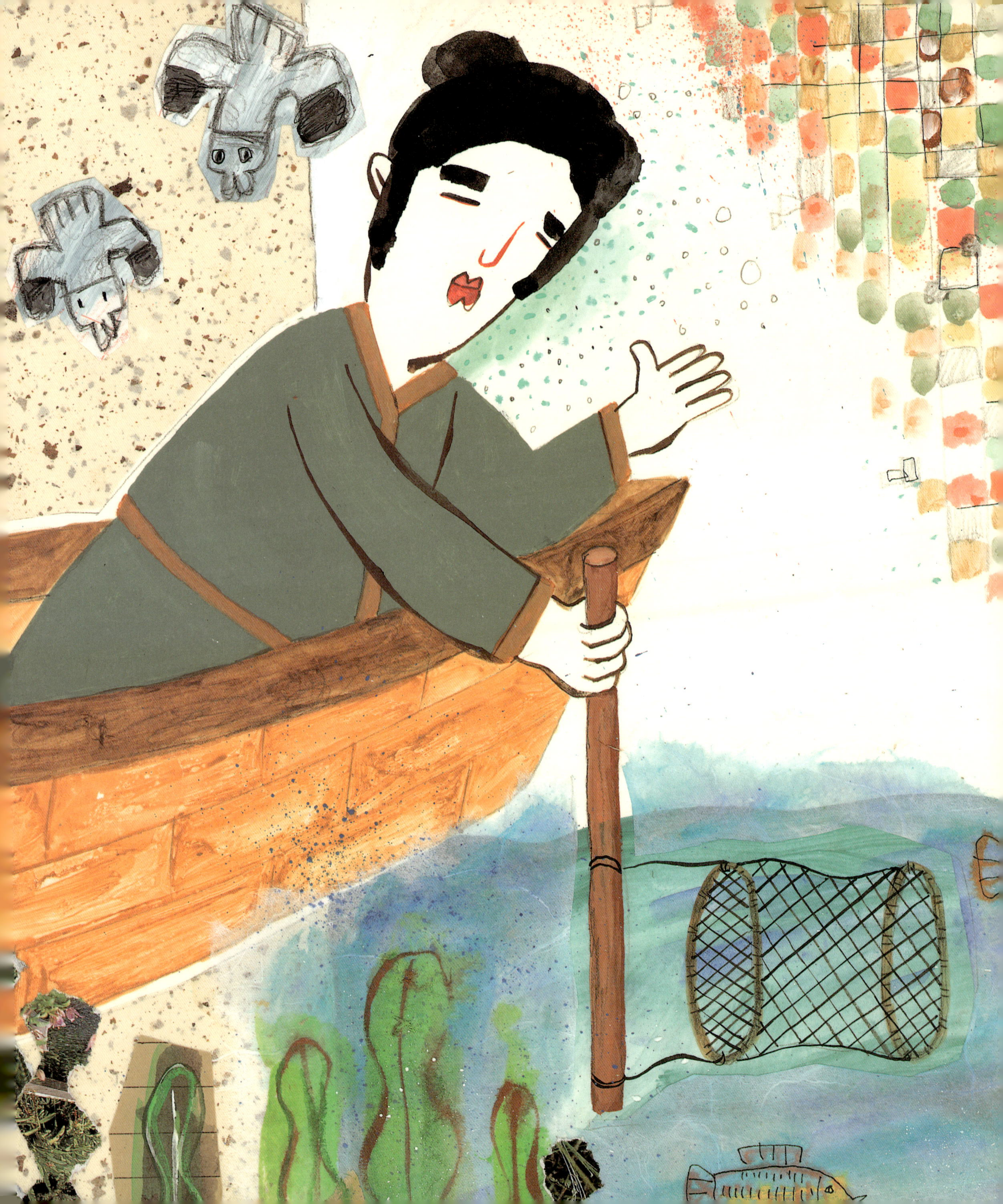

연오랑은 배 위에서 힘껏 그물을 던졌어요.
그러고는 한참을 기다린 후에 그물을 건져 올렸지요.
그런데 그날따라 그물에 걸려 올라오는 것이 아무것도 없었어요.
"그것 참 이상하다. 오늘따라 왜 이리 물고기가 안 잡히지?
이래서는 세오녀를 볼 면목이 없겠는걸."
연오랑은 다시 그물을 던져 보았지만
이번에도 그물은 텅텅 비어 있었어요.
연오랑은 답답한 마음에 하늘을 올려다보았어요.
하늘은 구름 한 점 없이 푸르기만 했지요.
"날이 이렇게 좋은데 물고기가 전혀 안 잡히다니, 참 이상한 일이군.
하는 수 없지. 빈손으로 갈 수는 없으니 미역이라도 따야겠다."

연오랑은 배를 묶어 두고 바다 속으로 들어갔지요.

'미역은 좀 따가야 할 텐데······.'

다행히 미역은 많이 있었어요.

연오랑은 미역을 딴 후 바다 속에서 나와 바위 위에 올라섰어요.

그런데 갑자기 연오랑이 서 있는 바위가 바다 위로 둥실 떠오르더니,

연오랑이 내릴 사이도 없이 바다 위를 둥둥 떠내려갔어요.

당황한 연오랑은 마을을 향해 소리를 질렀어요.
"세오녀! 세오녀!"
하지만 연오랑의 목소리는 파도 소리에 묻히고 말았어요.
연오랑은 무서웠지만 바위를 멈출 수가 없었어요.
바위는 빠르게 바다를 가로질러 어디론가 흘러갔어요.

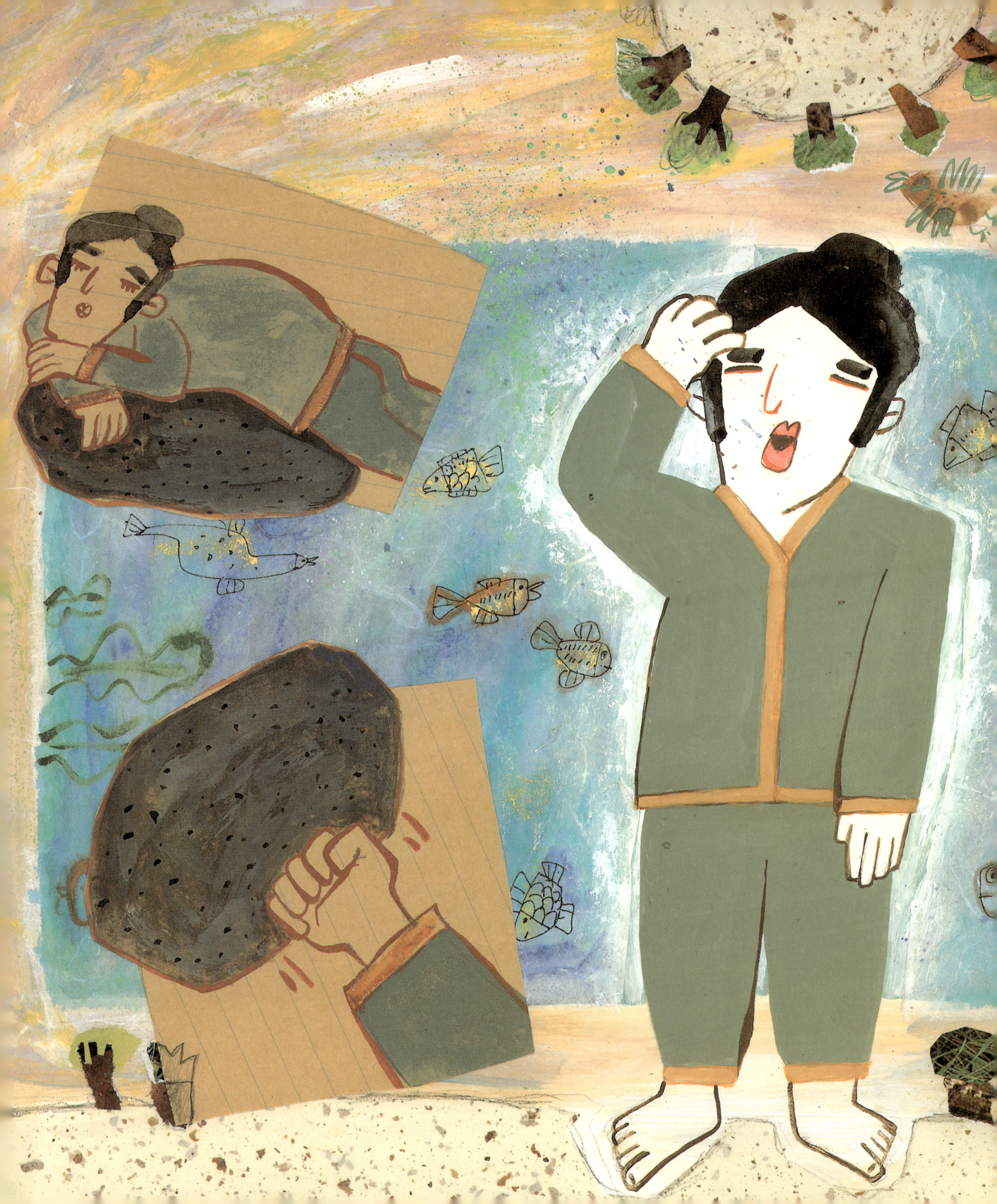

연오랑은 이러다 바다에 빠져 죽는 것은 아닐까
걱정이 됐어요.
하지만 무엇보다 세오녀를 못 본다고 생각하니
마음이 아팠지요.
"세오녀, 당신이 나를 찾으며 슬퍼할 걸 생각하니
마음이 찢어지는 것 같소.
당신에게 내 소식을 전할 길이 있다면 좋으련만.
이 일을 어찌한단 말이오?"
연오랑은 바위를 주먹으로 쳐 보기도 하고,
발로 쾅쾅 밟아 보기도 했어요.
하지만 바위는 바다 위를 유유히 흘러갔어요.
얼마나 지났을까,
지친 연오랑은 바위 위에서 깜박 잠이 들었어요.
바위는 한참을 가다 어느 섬에 멈추었지요.
잠에서 깬 연오랑은 바위에서 내려 주위를 둘러보았어요.
그곳은 한 번도 와 본 적 없는 낯선 곳이었어요.

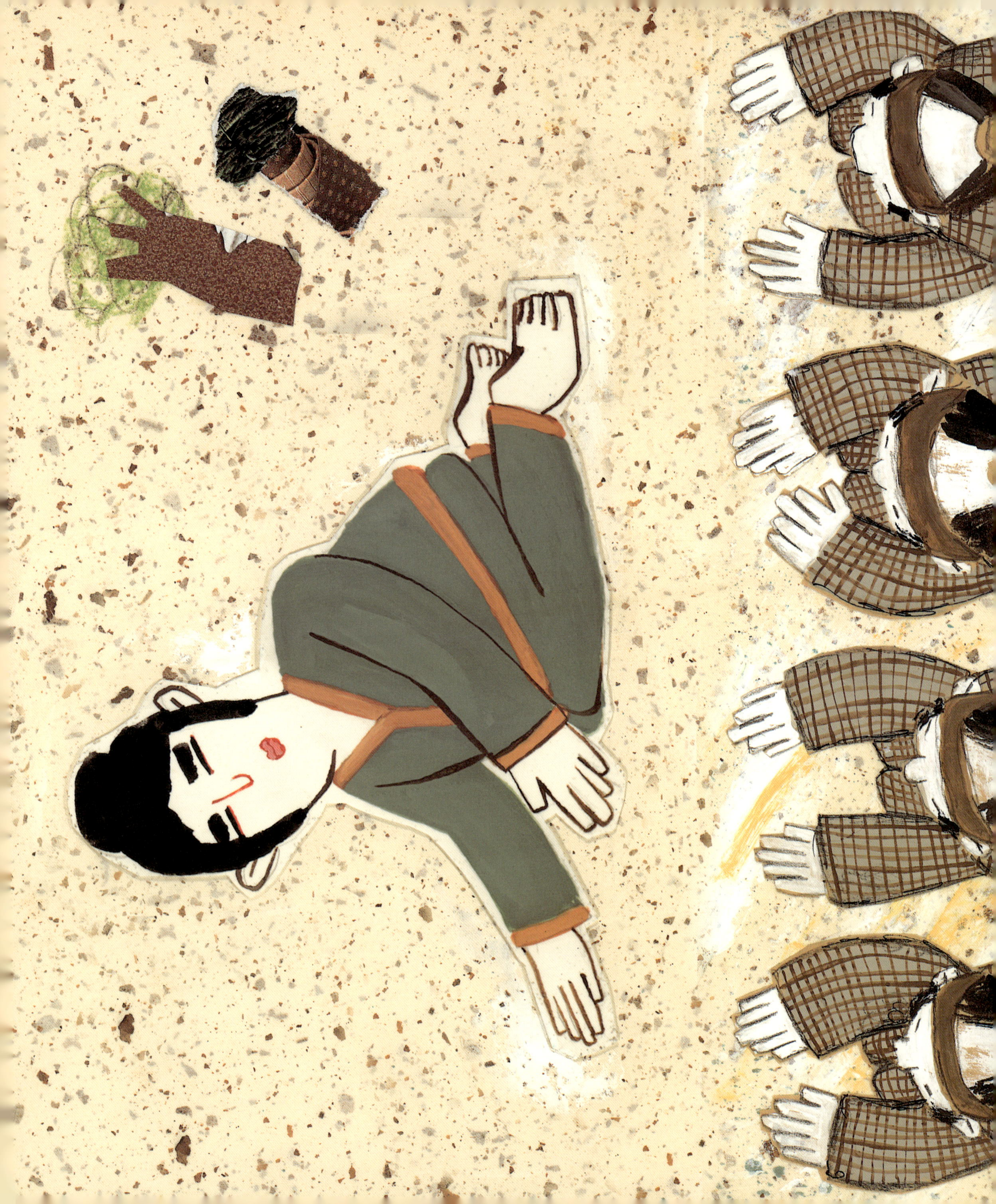

그때, 바닷가 저편에서 사람들이 조심스럽게 다가왔어요.
그 사람들은 갑자기 나타난 연오랑의 모습에
몹시 놀란 표정이었지요.
연오랑은 금세 사람들에게 둘러싸였어요.
"아니, 어떻게 바위를 타고 바다를
건너올 수가 있단 말입니까?
당신은 보통 사람이 아닌 것이 틀림없습니다."
연오랑이 사람들에게 물었어요.
"도대체 여기는 어디요?"
"이곳은 왜* 나라입니다. 이 나라에 왕이 없는 것을 알고
하늘에서 당신을 보내신 모양입니다."

*왜 : 일본의 옛 이름

세오녀는 연오랑을 기다리며 베를 짜고 있었어요.
그러다 그만 옷감 짜는 틀에 손가락이 끼어 다치고 말았지요.
지금껏 이런 실수를 한 적은 한 번도 없었는데 말이에요.
"오늘따라 서방님이 너무 늦으시네."
아무리 기다려도 연오랑이 돌아오지 않자 세오녀는 불안한 마음에 집을 나섰어요.

세오녀는 바다로 나가 연오랑을 기다렸어요.
밤이 깊어 주위는 칠흑처럼 깜깜했어요.
세오녀는 이웃에 사는 어부를 찾아갔어요.
"밤 늦게 죄송합니다만, 혹시 오늘 제 서방님을 못 보셨나요?"
"고기가 안 잡힌다며 배를 돌려 일찍 돌아갔는데.
집에 아직 안 왔소? 어허, 이상하군."
이웃 어부의 말을 들은 세오녀는 더욱 불안하고 걱정이 됐어요.

한편 왜나라 왕이 된 연오랑에게
많은 사람들이 온갖 진귀한 선물과 보석을 바쳤어요.
선물 중에는 고운 비단옷도 있었지요.
비단옷을 본 연오랑의 얼굴이 금세 우울해졌어요.
"이제 왕이 되셨으니 새 옷으로 갈아입으심이 어떠하실지요?"
그러나 연오랑은 어두운 얼굴로 고개를 저었지요.

"뭐가 잘못되었사옵니까?
어찌 그리 슬픈 얼굴을 하십니까?
혹시 옷이 마음에 안 드십니까?"
연오랑은 고개를 저으며 신하들에게 말했어요.
"나는 이 옷을 그대로 입겠소.
이 옷은 내 아내가 직접 지어 준 옷이오."

세오녀는 며칠이 지나도록
바닷가에 서서 연오랑을 기다렸어요.
비가 오고 바람이 불어도 바닷가에서 바다만 바라보고 있었지요.
그러던 어느 날, 세오녀는 바위 사이에 있는
연오랑의 신발을 발견했어요.
연오랑의 신발을 본 세오녀는 왈칵 눈물이 났어요.
"이게 어찌된 일입니까? 그럼 정말 서방님께서
바다에 빠져 돌아가셨단 말입니까?"
연오랑이 바다에 빠져 죽었다고 생각한 세오녀는
바위 위에 앉아 눈물을 뚝뚝 흘렸어요.

그때, 갑자기 바위가 흔들리더니
바다 위를 둥둥 떠내려가는 것이 아니겠어요?
세오녀는 깜짝 놀랐어요.
"아니, 이게 어찌된 일이지?"
세오녀를 태운 바위는 바다 위를
하염없이 떠내려갔어요.
이제 세오녀가 살던 마을은 보이지 않았지요.

세오녀가 탄 바위는 한참을 떠내려가다가 어디선가 멈추었어요.

낯선 사람들이 세오녀를 향해 달려왔어요.

"세상에, 이럴 수가! 이번에는 여자 분이 바위를 타고 오셨네."

사람들은 이 사실을 곧장 연오랑에게 알렸답니다.

"이상한 일이 생겼습니다."

"이상한 일이라니?"

신하들은 흥분하며 말을 이었어요.

"어떤 여자 분이 바위를 타고 바다를 건너왔습니다."

그 말을 들은 연오랑이 자리에서 벌떡 일어났어요.

"뭐라고? 어서 그 여자를 데리고 오라. 어서!"

연오랑은 그 여자가 세오녀일지도 모른다고 생각했어요.

연오랑은 안절부절못하며 여자를 기다렸지요.

대궐 안으로 세오녀가 들어섰어요.

연오랑과 세오녀는 서로를 알아보고 달려가 껴안았어요.

"하늘이 서방님 계신 곳으로 저를 보내 주셨나 봅니다."

두 사람은 기쁨의 눈물을 흘렸어요.

"살아서 당신을 보다니 이보다
기쁜 일이 또 어디 있겠소.
앞으로는 절대로 헤어지지 맙시다."

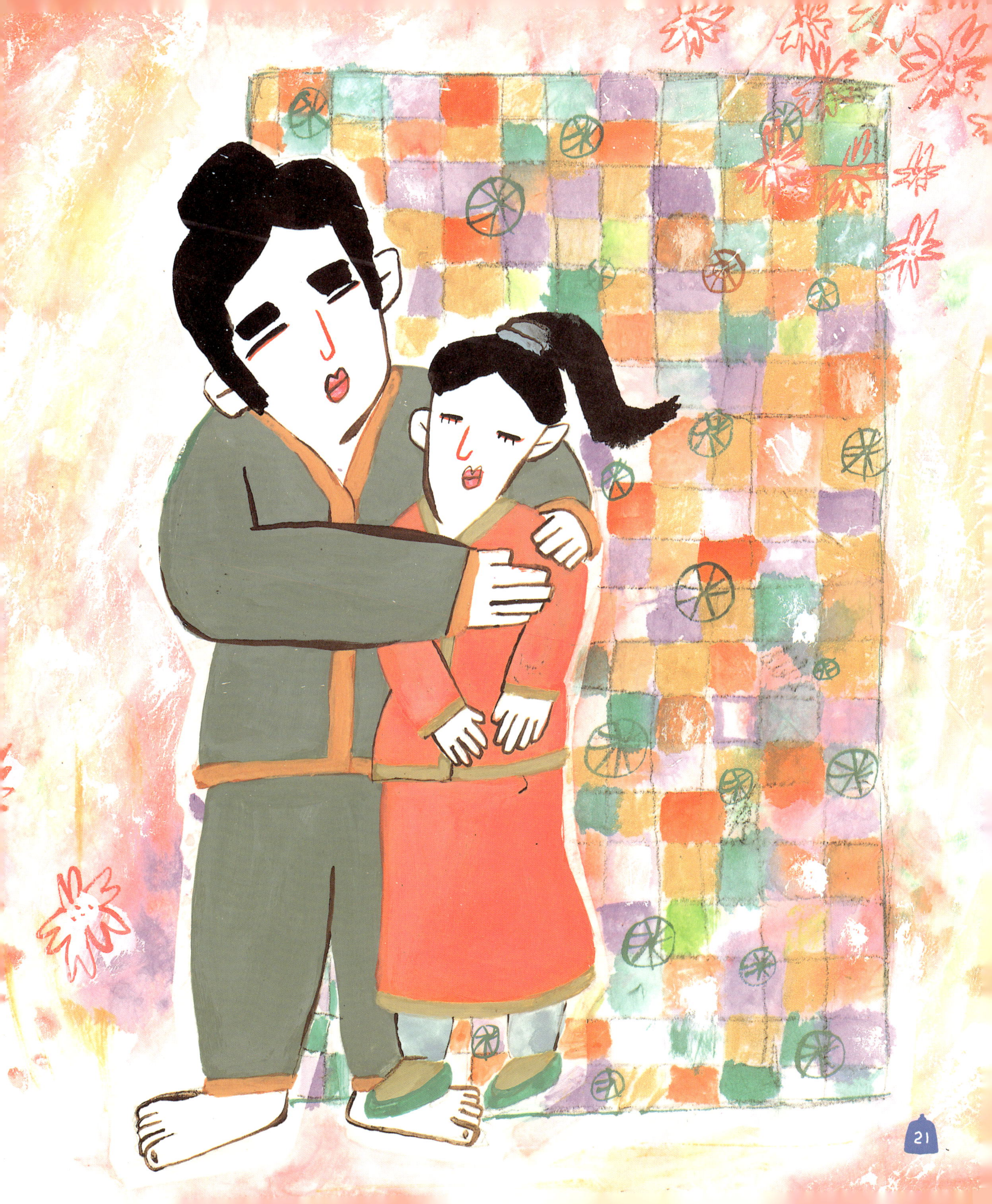

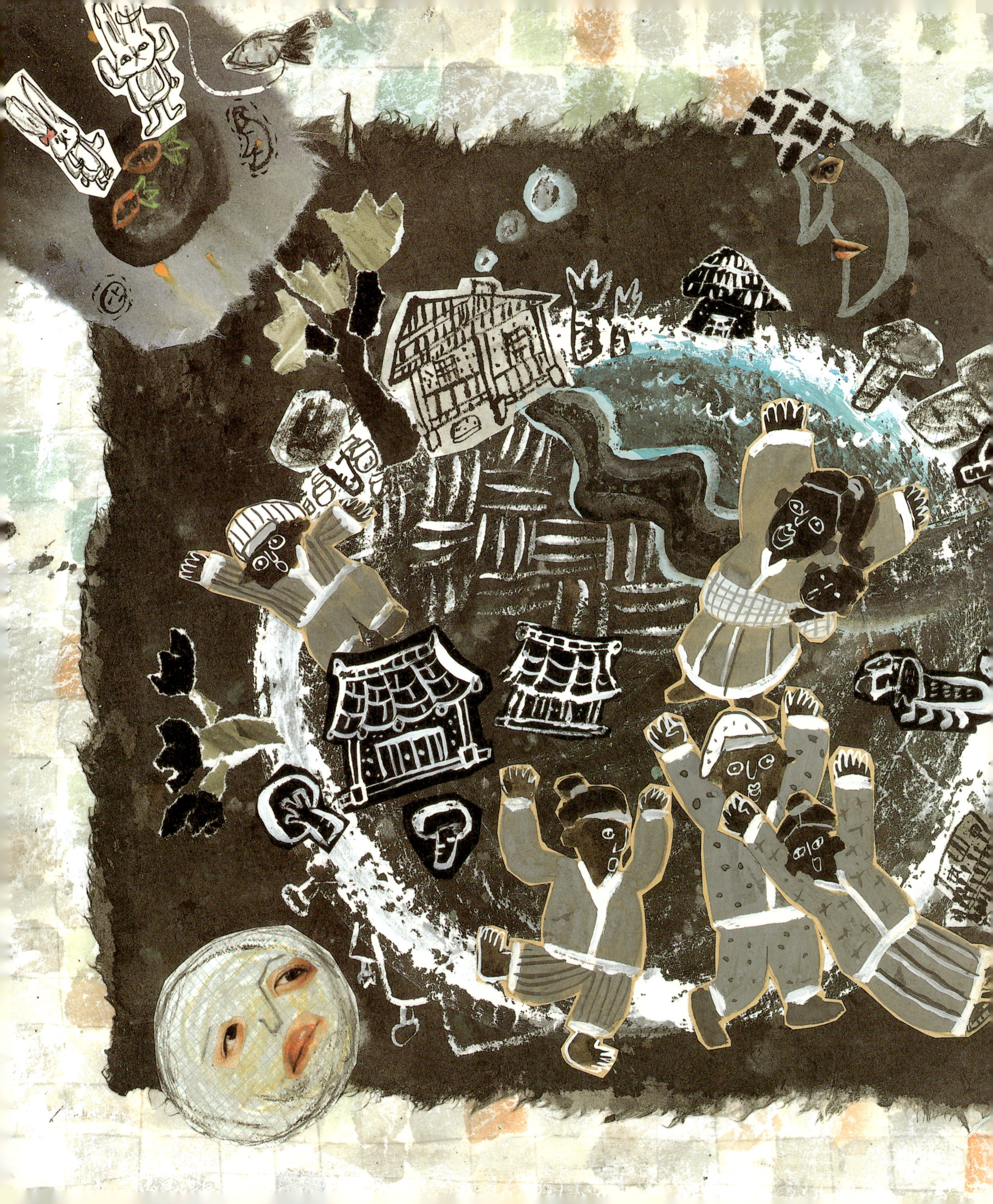

그런데 연오랑과 세오녀가 왜나라로 건너간 뒤
신라에 이상한 일이 벌어졌어요.
갑자기 해와 달이 빛을 잃어버린 것이었어요.
신라는 하루 아침에 어둠에 싸인 나라가 되었지요.
백성들은 놀라 아우성쳤어요. 아달라왕은 몹시 당황했어요.
"어찌하여 해와 달이 빛을 잃었단 말인가?
이런 해괴한 일이 왜 일어났는지 그대들도
알지 못 하는가?"
신하들도 이유를 몰라 그저 고개만 숙이고 있었어요.
"저희들도 도무지 영문을 알 수가 없사옵니다."
아달라왕은 이러지도 저러지도 못 한 채 고민했어요.

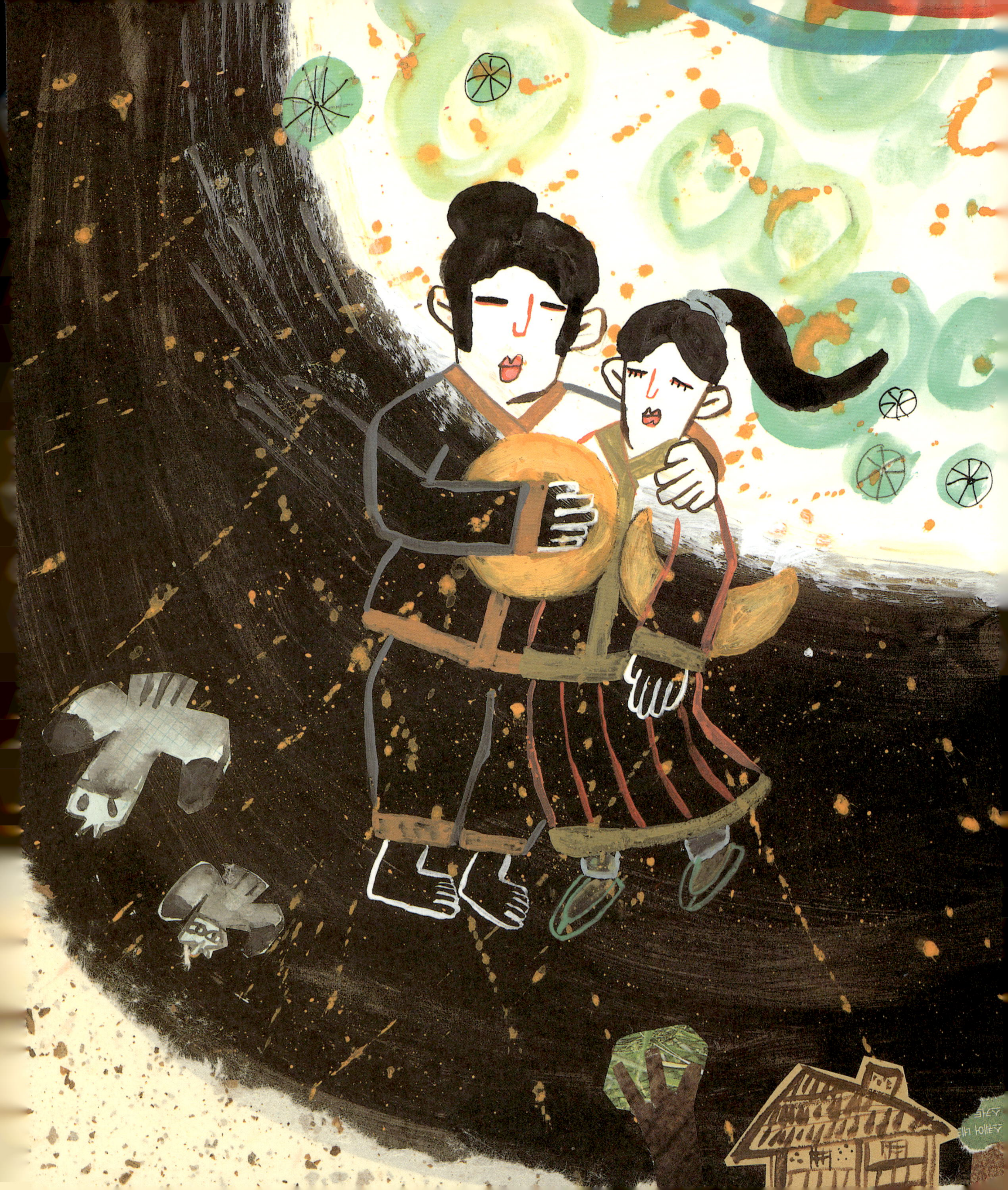

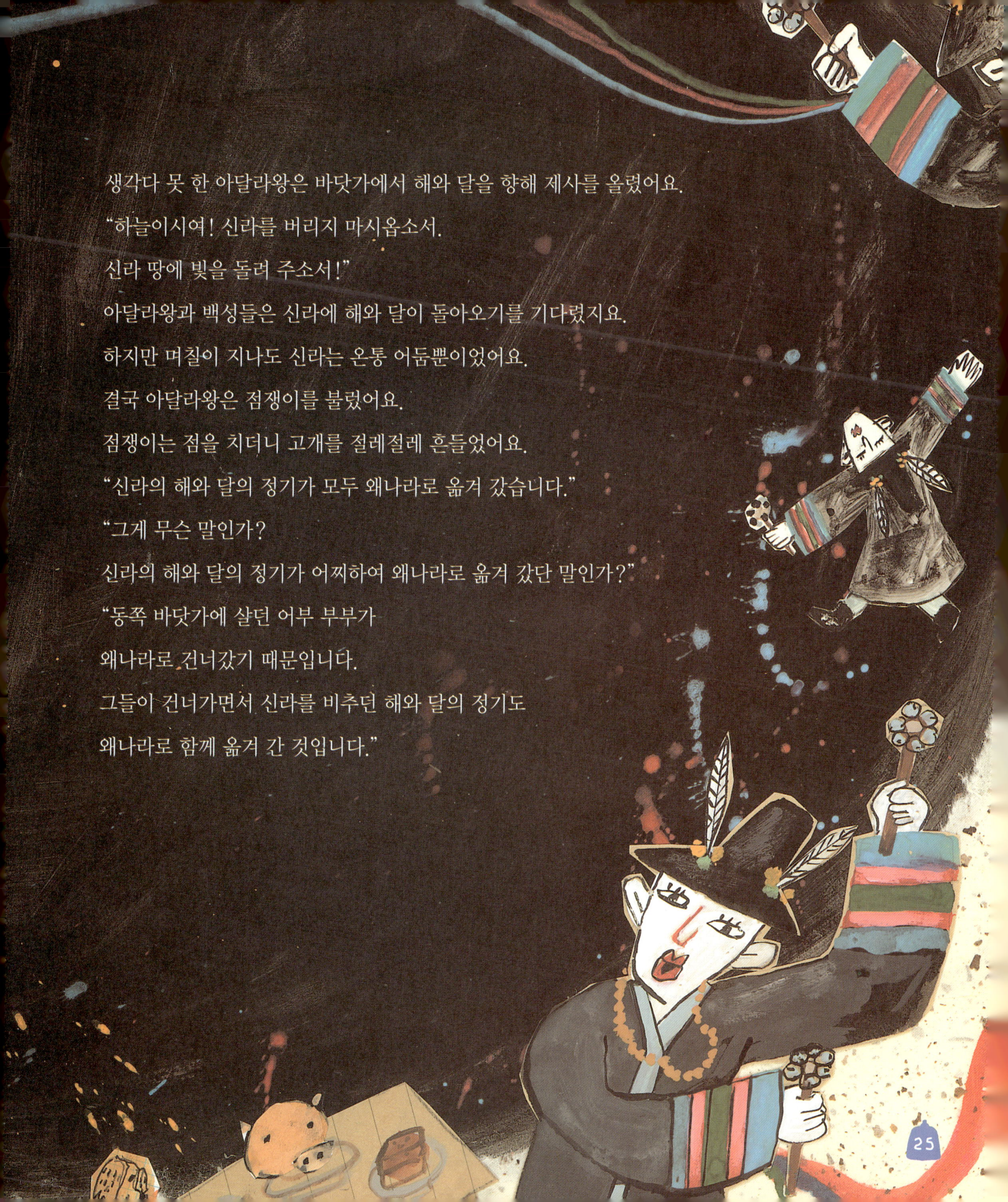

생각다 못 한 아달라왕은 바닷가에서 해와 달을 향해 제사를 올렸어요.

"하늘이시여! 신라를 버리지 마시옵소서.

신라 땅에 빛을 돌려 주소서!"

아달라왕과 백성들은 신라에 해와 달이 돌아오기를 기다렸지요.

하지만 며칠이 지나도 신라는 온통 어둠뿐이었어요.

결국 아달라왕은 점쟁이를 불렀어요.

점쟁이는 점을 치더니 고개를 절레절레 흔들었어요.

"신라의 해와 달의 정기가 모두 왜나라로 옮겨 갔습니다."

"그게 무슨 말인가?

신라의 해와 달의 정기가 어찌하여 왜나라로 옮겨 갔단 말인가?"

"동쪽 바닷가에 살던 어부 부부가

왜나라로 건너갔기 때문입니다.

그들이 건너가면서 신라를 비추던 해와 달의 정기도

왜나라로 함께 옮겨 간 것입니다."

아달라왕은 즉시 왜나라로 건너간 어부 부부를 데려오라고 했어요.
아달라왕의 명령을 받은 사신*은 급히 왜나라로 떠났지요.
그리고 왕과 왕비가 되어 왜나라를 다스리는 연오랑과 세오녀를 만났어요.
"당신들이 이곳으로 온 뒤로 신라 땅에서 해와 달이 빛을 잃었습니다.
그러니 두 분은 하루빨리 신라로 돌아와 주십시오."
그 말을 들은 연오랑이 고개를 저었어요.
"내가 이곳에 온 것은 하늘이 시킨 일이오.
어찌 하늘의 뜻을 어기고 신라로 돌아갈 수 있겠소?
하늘의 뜻을 거역한다면 신라 땅에 더 끔찍한 일이 일어날지도 모르오."

*사신 : 나라의 명을 받아 외국에 파견되는 신하

"그럼 어찌하면 되겠습니까?"
연오랑은 세오녀가 짠 비단을
사신에게 주며 말했어요.
'이것은 세오녀가 신라를 생각하며
정성스럽게 짠 비단이오.
이것을 가지고 가서 하늘에 제사를 올리면
해와 달의 빛이 돌아올 것이오.

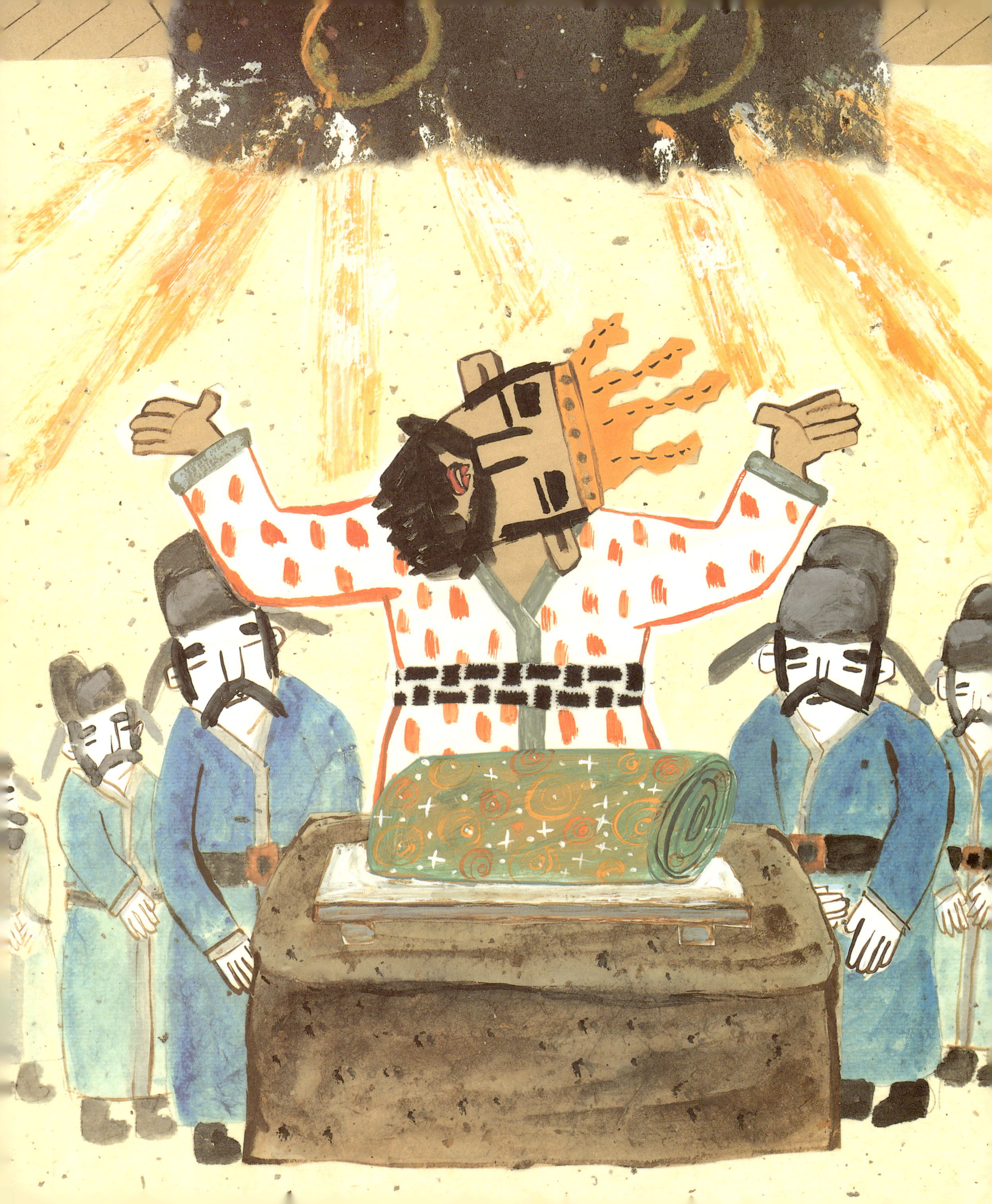

사신은 할 수 없이 연오랑과 세오녀가 건네준
비단을 들고 신라로 돌아왔지요.
사신에게서 이야기를 전해 들은 아달라왕은
마음을 놓을 수가 없었어요.
"이 비단이 과연 신라에 해와 달의 정기를
돌려놓을 수 있단 말인가?"
하지만 달리 방법이 없었기에
아달라왕은 세오녀의 비단으로 제사를 올렸어요.
그러자 해와 달이 밝은 빛을 내기 시작했어요.
그제서야 신라 땅은 서서히 밝아졌지요.
"허, 이 비단이야말로 우리 신라에 더없이 귀중한 보물이로다!"
아달라왕은 세오녀가 준 비단을 대궐 보물 창고에
소중히 간직하고, 그 창고를 '귀비고'라고 불렀어요.
그리고 제사를 지낸 곳을 '영일현'이라고 불렀는데,
이는 '해를 맞이한 곳'이라는 뜻이랍니다.

일본으로 건너간 연오랑과 세오녀

'연오랑과 세오녀' 이야기는 일본의 건국과도 관련이 있어서 사람들의 주목을 받고 있습니다. 연오랑과 세오녀는 신라 제8대 아달라왕 시대 사람이에요. 아달라왕은 끊임없이 전쟁을 하면서 백성들을 힘들게 했고, 자연히 백성들의 원성은 높아만 갔지요. 그때의 기록을 보면 신라에 많은 흙비가 내려 우물이 말랐다고 하는데, 학자들은 이것을 아달라왕이 백성의 존경을 잃었다는 뜻으로 해석하고 있어요. 옛날 사람들은 왕이 정치를 잘못하면 종종 가뭄이나 홍수, 흙비 같은 자연 현상을 빌어 상징적으로 표현했거든요.

이처럼 혼란스러운 시기, 연오랑과 세오녀는 신라를 떠나게 됩니다. 학자들은 연오랑과 세오녀를 평범한 어부 부부가 아니라 해와 달을 살피며 하늘에 제사를 주관하는 관리였을 것으로 추측하고 있어요. 그러니까 연오랑과 세오녀는 당시 신라에 꼭 필요한 중요한 인물이었는데, 아달라왕이 정치를 잘못하자 실망해 일본으로 떠났다는 거지요. 결국 제관이 없어 제사를 지낼 수 없었던 아달라왕은 일본으로 사신을 보내 연오랑과 세오녀에게 돌아와 달라고 사정을 합니다.

연오랑은 신라로 돌아가는 대신 세오녀가 짠 비단을 신라 사신에게 전해 주었다고 하는데, 학자들은 이것이 제사를 지낼 때 꼭 필요했던 물건이 아닐까 생각한답니다. 만약 이 추측이 맞다면 신라의 제관들이 일본으로 건너가 일본의 제사 의식을 발전시켰으며, 신라 사람들이 고대 일본에 많은 영향을 미쳤다는 것을 알 수 있습니다.

「연오랑과 세오녀가 일본으로 건너가자 신라의 해와 달이 빛을 잃었어요.」

기원전 57년
신라 건국

154년
아달라왕
신라 제8대 왕 즉위

157년
연오랑, 세오녀
일본으로 건너감

158년
신라
일본에 사신을 보냄

512년
우산국 정복

532년
금관 가야 정복

연오랑, 세오녀와 관련 있는 **인물들**

아달라왕 : 신라 제8대 왕

왕위에 있었던 기간은 154~184년입니다.
156년에 계립령 길을 개통하고 158년에는
죽령 길을 개통하는 등 나랏일에 많은 신경을 썼습니다.
167년, 백제가 천여 명의 백성을 잡아가는 일이 생기자
백제를 공격하기도 했습니다.
그러나 전쟁을 위한 공사에 사람들을 자주 동원하는 바람에
백성의 불만을 샀습니다.

알고 싶은 **요모조모**

일본의 태양 설화

일본에도 '연오랑과 세오녀' 이야기와 비슷한 설화가 있습니다. 신라 왕자였던 천일창은 해의 기운을 받은 처녀가 낳은 구슬을 가지고 있었어요. 나중에 이 구슬이 아름다운 여인으로 변해 천일창과 결혼을 하게 됩니다. 하지만 천일창은 아내를 사랑하지 않았어요. 마음이 상한 천일창의 아내는 슬퍼하다가 일본으로 떠나 버리지요. 그런데 아내가 떠나자마자 한반도에서 태양이 사라져 버렸답니다. 그제서야 천일창은 아내의 소중함을 깨닫고 아내를 찾아 일본으로 떠납니다.

'연오랑과 세오녀 설화'와 '천일창 설화'에는 많은 공통점이 있어요. 태양과 관련된 설화라는 점, 부부 모두 신라로 돌아오지 않고 일본에서 계속 살았다는 점 등입니다. 무엇보다도 주목할 만한 점은 세오녀가 짠 비단으로 제사를 지내자 빛이 돌아왔다는 것이나, 천일창의 아내가 일본으로 떠나자 태양이 옮겨갔다는 것입니다. 이 두 이야기에서는 모두 여성이 태양을 상징하고 있지요.

660년	668년	676년	751년	828년	888년	935년
백제 정복	고구려 정복	삼국 통일 통일 신라 시대 시작	불국사 창건	청해진 설치	향가집 《삼대목》 편찬	신라 멸망

궁금증을 풀어 주는 미로여행

Q1 연오랑과 세오녀가 건너갔다는 **바다**는 어디인가요?

Q2 **해와 달**이 없어졌다고 하는 것은 어떤 의미일까요?

Q3 세오녀의 비단을 모셨다는 **귀비고**는 아직 남아 있나요?

Q4 신라는 **일본**에 어떤 영향을 주었을까요?

경상북도 포항시 대보면 대보리에 있는 **장기곶**이에요. 이곳은 한반도에서 해가 가장 빨리 뜨는 곳으로 알려져 있어요. 이 근처 바다는 해를 맞이한다는 뜻으로 영일만이라고 부르지요.

일식과 월식이 일어났다는 뜻일 거예요. 실제로 아달라왕 때 일식이 있었다는 기록이 있어요. 옛사람들은 일식이 있으면 불길한 징조로 여겨 하늘에 제사를 올렸어요. 〈연오랑과 세오녀〉 이야기와 연결해 보면, 일식이 일어나자 제사를 지낼 제관이 필요했던 아달라왕이 일본으로 떠난 제관들에게 사신을 보낸 것이 아닌가 하는 추측이 가능하지요.

아쉽게도 남아 있지 않아요. 대신 귀비고가 있었다는 자리에 **일월지**라는 연못이 있지요. 신라 사람들은 가뭄이 들거나 돌림병이 돌면 이 일월지에서 제사를 지냈다고 해요.

신라는 일본에 둑 쌓는 기술, 배를 만드는 기술, 도자기 만드는 방법 등을 전해 주었고, 신라 불교는 일본 불교에 **큰 영향**을 주었답니다.